본격 대결 과학실험 만화

내일은 실험왕 ㊹

본격 대결 과학실험 만화

내일은 실험왕 ④ 로켓과 핵무기

글 스토리 a. | **그림** 홍종현 | **감수** 박완규, 이창덕 | **채색** 손은주, 이재웅
사진 POS 스튜디오, 연합뉴스, 한국항공우주연구원, Shutterstock, Wikimedia
펴낸날 2018년 9월 20일 초판 1쇄 | 2019년 1월 31일 초판 2쇄
펴낸이 김영진 | **사업총괄** 나경수 | **본부장** 박현미 | **사업실장** 백주현
개발팀장 박소영 | **기획·편집** 조은지, 안아름, 김수지, 손주원, 한정아, 변하영, 김다은
디자인팀장 박남희 | **디자인** 김리안
아동마케팅팀장 박충열 | **아동마케팅** 김세라, 전현주, 정재성, 김보경, 이강원, 허성배, 정슬기, 신해임, 정재욱
출판지원팀장 이주연 | **출판지원** 이형배, 양동욱, 강보라, 손성아, 전효정, 이우성
해외콘텐츠전략팀장 김무현 | **해외콘텐츠전략** 강선아, 이아람
펴낸곳 (주)미래엔 서울특별시 서초구 신반포로 321 | **문의** 미래엔 고객센터 1800-8890 팩스 02)541-8249
출판등록 1950년 11월 1일 제16-67호 | **홈페이지** www.mirae-n.com

ⓒ 스토리 a. · 홍종현 2018
저작권자의 동의 없이 무단 복제 및 전재를 금합니다.
부록으로 '탱탱볼 로켓 발사' 실험 키트가 들어 있습니다.

ISBN 979-11-6233-756-1 77400
ISBN 978-89-378-4773-8(세트)

이 도서의 국립중앙도서관 출판예정도서목록(CIP)은 서지정보유통지원시스템(http://seoji.nl.go.kr)과
국가자료공동목록시스템(http://www.nl.go.kr/kolisnet)에서 이용하실 수 있습니다. (CIP제어번호 : CIP2018027734)

사용 연령 8세 이상
파본은 구입처에서 교환해 드리며, 관련 법령에 따라 환불해 드립니다. 다만, 제품 훼손 시 환불이 불가능합니다.
값은 뒤표지에 있습니다.

본격 대결 과학실험 만화

내일은 실험왕 ㊹

글 스토리 a. | 그림 홍종현

MiraeN 아이세움

차례

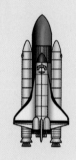

등장인물

강원소

소속 한국 대표 실험반 B팀.

관찰 내용

• 16강 대결로 인해 흥분한 우주를 가라앉히는 냉각수 같은 존재.

• 실험 결과나 대결 승리보다 실험 과정과 팀원들 간의 협동을 더 중요하게 여긴다.

관찰 결과 리더로서 팀원들의 실력 차이를 잘 알고 있으며, 팀원들의 수준에 맞는 적절한 실험 목표를 설정한다.

강세나

소속 독일 대표 실험반.

관찰 내용

• 발표된 16강 실험 과제를 해결하기 위해 곧장 돌진하는 요격 로켓과 같은 소녀.

• 공항에서 원소와 마지막 대결에 대한 이야기를 나누며 둘만의 화기애애한 분위기를 만든다.

관찰 결과 자신이 원소를 이길 수 있을까 하는 의구심에 휩싸이지만, 이내 곁에 있는 팀원들을 보고 자신감을 얻는다.

범우주

소속 한국 대표 실험반 B팀.

관찰 내용

• 대결 승리를 위해서라면 무엇이든 할 수 있다는 폭격기 같은 소년.

• 독일 팀과의 이별의 순간에도 음료수를 세상 맛있게 마실 수 있는 해맑은 성격의 소유자.

관찰 결과 16강에서 탈락하는 것은 곧 불지옥에 떨어지는 것과 같다며 대결 승리를 위해 필사적으로 노력한다.

나란이·하지만

소속 한국 대표 실험반 B팀.
관찰 내용
• 서로 극과 극인 우주와 원소의 마찰을 줄이기 위해 나름대로
  열심히 노력하는 윤활유 같은 존재.
• 로켓에 달린 작은 날개처럼 흥분한 우주와 냉철한 원소
  사이에서 적절히 균형을 유지해 간다.
관찰 결과 팀 안에서 크게 눈에 띄지는 않지만 자신에게
맡겨진 실험 과제를 묵묵히 처리한다.

허홍

소속 태양초 실험반.
관찰 내용
• 기상 관측용 로켓처럼 눈에 레이다를 켜고 원소와 세나의 대결을
  살피는 소년.
• 대결 주제를 보자마자, 이미 대결 승패가 정해졌다며 홀로
  아쉬움과 심각함에 빠진다.
관찰 결과 다른 아이들 앞에서 자신이 원소와 세나의 절친한
친구라며 으스대지만 아무도 그의 말에 귀 기울이지 않는다.

기타 등장인물

❶ 16강 대결을 관람하기 위해 깜짝 등장한 **강림**.
❷ 한국 B팀의 승리를 간절히 바라는 **김초롱**.
❸ 초롱이와 은근히 죽이 잘 맞는 **리즈**.

지난 이야기

무작위 추첨을 통해 한국 B팀과 독일 팀이 16강 대결 상대가 되자, 아이들은 큰 혼란에 빠지고 만다. 그날 저녁,
막스는 원소와 단둘이 이야기 나누는 세나의 모습을 목격하게 되고 그 뒤부터 왠지 모르게 찬바람이 돌기 시작한다.
그리고 다음 날, 실험 대결을 관람하던 도중 세나를 향한 막스의 진심이 화산처럼 폭발하고 마는데…….

제**1**화

공항에서 건넨 인사

길이라도 헤맨 거냐?
한참 기다렸다고.

늦었네.

이 가방이 너무
무거워서 그래!

그러게.
엄청 힘들어
보이는데,
여기 앉아서
좀 쉬어.

쉴 시간이 어디
있냐? 빨리
들어가야지.

그렇게 한시라도 빨리 우리랑
헤어지고 싶은 거야?

누, 누가 그렇대?

우주야, 잠깐만.
아직 원소가 안 왔어.

그래, 세나도 원소랑
같이 있다고.

그래. 원소랑 세나……

하여간 느긋한 건
세계 최고라니까!
강원소, 당장
뛰어오지 못하냐?!
저걸 그냥……!

크앙

우주야, 기다려!
둘이 할 얘기가 많은 것 같았어.

얼마나 아쉽겠냐?
지금 헤어지면
한동안 못 만나잖아.

아쉽다니……, 너희들 눈엔 저게 아쉬운 표정이냐?

응?

캑

화기애애

까르르

끄덕끄덕

엄청 즐거워 보이네?

헤어지는 게 좋은가?

푸하하! 이제야 예전의 강원소가 돌아왔네.

다른 녀석들에게는 비밀이야. 내가 대결 점수에 신경 쓰지 않는 걸 알면 특히 범우주는 난리 난다~.

하하

강원소, 아주 긴장이 다 풀렸구나? 뼈 있는 농담도 하고.

농담 아닌 거 알잖아.

쓰으응

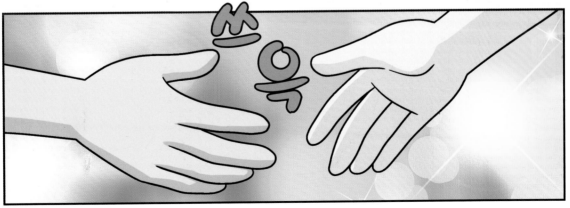

- 안내 -
한국 B팀과 독일 팀의 대결은 야외 대결장으로 장소가 변경되었습니다.

띠로리~

엥?

피융

으아악! 야외 대결장은 또 어디야?!

와아

다다다

와아아

대체 어느 쪽이야?

와아아

휙

이쪽인가?

와아아

와아

이쪽?

아니, 저쪽?!

헉 헉

안 되겠다. 입구에 가서 물어봐야겠어!

아저씨~.

헉

글쎄, 안 된다니까.

제 얼굴 기억 안 나세요? 탈락한 것도 서러운데 아저씨까지 이러시기예요?

입장권 없이는 대결장에 들어갈 수 없다니까. 이건 규정이라고!

여
여

저 녀석은 저번 새벽초와의 대결에서 떨어진 중국 팀, 강…림?!

딱 한 번만요~

안 돼!

여길 백 번 넘게 왔다 갔다 했는데, 갑자기 입장권을 내라니 너무 매정하잖아요!

할 수 없어. 여기 그렇게 써 있다고!

대결 참가팀 외에 모든 관객은 입장권 확인 필수!

맞네요. 확실히 대결 참가 팀은 언제든 입장이 가능하다고 적혀 있군요.

불쑥

얜 또 뭐야?

하지만 탈락 팀이 대결 참가 팀에 속하지 않는다는 규정은 없는데요?

뭐?

꼴똘

오오!!

맞아요! 대결에서 떨어진 팀도 엄연히 대결 참가 팀에 속한다고 생각합니다!

끄덕 끄덕

그, 그게 그렇게 되나?

펄럭 펄럭

난감

서류에 관련 내용이 없으면 주최 측에 물어보면 되잖아요.

아, 그러면 되겠구나!

휙

SECURIT

확인하는 동안 잠깐 기다려라. 지난번처럼 또 도망가지 말…….

휙

이, 이 녀석들이!

빠직

도망감

뿅

SECUR

21

누군지 몰라도 신세 졌네. 나중에 꼭 갚을게!

나중이 아니라 지금 갚아!

지금?

야외 대결장이 어디야? 빨리 알려 줘!

야외 대결장?

에잇, 오늘 대결이 야외 대결장이래? 거긴 늦게 가면 자리가 없을 텐데……. 뒤에서 보면 대결도 잘 안 보인다고. 모처럼 생생한 대결을 보려고 왔는데.

아, 맞다! 거기 가서 보면 되지!

그러니까 빨리 안내하라고!

이쪽으로 따라와!

야외 대결장은 저쪽 같은데?

오늘 날 만난 걸 행운으로 생각해라. 대결장은 내 손바닥 안에 있거든.

그래서 이쪽이 지름길이라는 거냐?

지름길보다 백배 더 좋은 곳이야!

야외 대결을 장애물 없이 조용하게 볼 수 있는 곳이지.

현장감을 그대로 느끼면서 대결 중에 토론도 마음껏 할 수 있는 곳!

특별히 너에게만 공개한다!

오오!

자, 여기야.
나만 아는 비밀의 장소!

끼익

훗

옥상에
이런 공간이?!

정말 다 보이잖아?
원소랑 세나도!
관객이랑 화면도…….

우아

그리고……,

쓰윽

미국 팀도…….

음냐..

24

바로 대결 주제 때문입니다.

오늘의 대결 주제는 바로…….

쓰윽

로켓

두둥

로켓입니다!

로켓

와아아

팟

주제가 로켓이래!

재미있겠다!

그럼 로켓을 만드는 거야?

로켓이라…….

로켓은 양력을 이용하여 공중에 뜨는 비행기와는 달리, 작용 반작용의 법칙을 이용하여 비행하지.

전진

양력

반작용

작용
(분출하는 힘)

아~, 아깝다! 우리 팀 대결 때 이 주제가 나왔다면 내 실력을 확실히 보여 줄 수 있었을 텐데. 그럼 올해 우승 특별상인 인공위성에 내 이름이 달렸을 거라고!

강림호

콰 아 아

그 로켓이 중간에 폭발하지 않는다면 그렇겠지.

펑

뭐?!

내 로켓이 왜 폭발해?!

로켓 연료는 일종의 화약이야. 작은 실수로도 쉽게 폭발한다고~.

크릉

워 워~

1986년 챌린저호 폭발

2003년 컬럼비아호 폭발

1957년 뱅가드 로켓 폭발

제대로 알고 말해!
화약이라면 우리 팀 전문이야.
중국의 3대 발명품 중 하나가
바로 화약이라고! 화약으로
불꽃놀이와 무기도 만들었지.

발끈

불꽃놀이

중국의 3대 발명품

화약 무기

화약

종이

나침반

그 화약을 안전하게 다루는 기술이 제일
중요한 거 아니겠어? 일본은 로켓 발사
성공률이 90%를 넘을 정도로
화약을 다루는 기술이
매우 뛰어나다고.

초소형
로켓 개발

재활용
로켓 개발

너희들, 세계 최초로 인간을 달에
보낸 나라가 미국인 건 알고 있지?
지금도 미국은 세계 최고 수준의
로켓 기술을 갖고 있단 말씀~.

타이탄
로켓

새턴
로켓

아틀라스
로켓

미국의 유명 로켓

너희들 나라의 로켓 기술은
지금 대결의 승패와는
아무 관계가 없어.

휙

로켓 실험이라면……, 승패는 이미 정해져 있으니까.

진저

승패가 정해져 있다니? 그걸 네가 어떻게 알아?

허홍 님은 세나 님과 원소 님의 소꿉친구입니다.

불쑥

그래? 허홍이 누군데?

빠직

바로 내가 허홍 님이시다! 원소랑 세나와 함께 로켓 실험을 백 번 넘게 해 봤던 허, 홍!

발끈

뭐?

원소랑 세나,

저 두 사람이 그런 사이였어?

두 사람이 아니라, 세 사람!

헤~

난 안 보이냐?

그럼 넌 누가 이길지 알고 있단 얘기야?

30

실험 풍선 다단식 로켓 만들기

로켓을 우주에 쏘아 올리려면 매우 강한 추진력이 필요합니다. 강한 추진력을 얻기 위해서는 그만큼 많은 양의 연료가 필요한데, 연료의 양이 많으면 많을수록 무게가 증가하여 로켓의 속도는 떨어집니다. 이러한 문제를 해결하기 위해 연료를 여러 개의 통에 나누어 담고, 사용한 연료 통을 버릴 수 있는 다단식 로켓이 개발되었습니다. 풍선을 이용한 실험을 통해 다단식 로켓의 원리를 알아봅시다.

준비물 공기 펌프 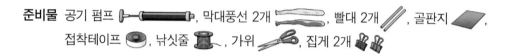, 막대풍선 2개 , 빨대 2개 , 골판지 , 접착테이프 , 낚싯줄 , 가위 , 집게 2개

❶ 낚싯줄을 탁자 다리나 의자에 묶어 팽팽하게 고정시킵니다.

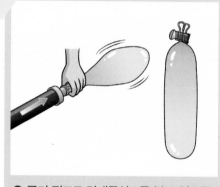

❷ 공기 펌프로 막대풍선 A를 불고 입구를 집게로 집어 둡니다.

❸ 골판지로 고리를 만들어 막대풍선 A를 골판지 고리에 끼웁니다.

❹ 막대풍선 B의 입구를 골판지 고리에 끼워 통과시킵니다.

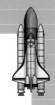

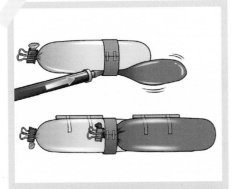

❺ 막대풍선 B를 불어 입구를 집게로 집은
다음 풍선에 빨대를 붙입니다.

❻ 낚싯줄에 빨대를 걸고 동시에 집게를
제거하여 풍선을 발사시킵니다.

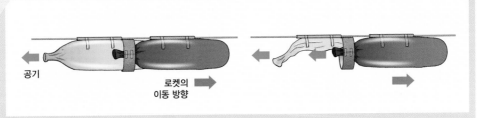

공기

로켓의
이동 방향

❼ 차례대로 막대풍선 A와 B의 공기가 빠져나오며 막대풍선이 발사됩니다.

왜 그럴까요?

막대풍선이 한꺼번에 발사되지 않고 차례대로 발사된 이유는 막대풍선 A의 공기가
빠져나오며 막대풍선 A와 B를 밀어 주고, 막대풍선 B의 공기가 빠져나오며
막대풍선 B를 한 번 더 밀어 주었기 때문입니다. 실제의
다단식 로켓 역시 이 실험과 비슷한 원리를 지닙니다.
다단식 로켓은 여러 개의 로켓을 쌓아 올린 뒤 연소가 끝난
로켓이 분리되어 떨어져 나갈 수 있도록 만든 로켓으로,
보통 3~4단으로 이루어져 있으며 각 단은 폭발에 의해
결합된 부분이 절단되며 분리됩니다. 이러한 원리 덕분에
다단식 로켓은 발사되는 과정에서 무게가 점점 가벼워져
일반 로켓보다 더 멀리, 빠르게 날아갈 수 있습니다.

©Wikimedia

1단 분리 중인 새턴 5호

제2화
어격 본 적 없는 실험

응! 그게 왜?
무슨 문제 있어?

로켓이 마음에
안 드는 이유라도
있는 거야?

그러니까 내 말은
로켓에서 가장
중요한 게 추진제라고.
추진제는 화학 반응으로
에너지를 얻어.
그런데 난……

원소의 화학
실력을 절대
못 따라간단 말이야!

뭐……?

원소와 로켓 실험을 할 때마다 결과는 똑같았어.
원소의 로켓이 가장 빠르고, 제일 멀리 날아갔다고!

으앙, 또
실패야!

어휴, 분해!

로켓이 지구를 벗어나려면 적어도 제2 우주 속도가 필요해.

제2 우주 속도? 그럼 제1, 제3 우주 속도도 있어?

제2 우주 속도는 로켓이 지구의 중력장을 벗어나 우주로 나아가는 데 필요한 최소 속도야. 우주 속도는 로켓의 기본이라고.

그래서 내 질문에 대한 답은?

거참, 되게 시끄럽군.

다른 우주 속도도 있어. 제1 우주 속도는 물체가 지구 둘레를 원이나 타원 궤도로 비행하기 위해 필요한 최소 속도고, 제3 우주 속도는 물체가 태양계를 탈출하기 위해 필요한 최소 속도야.

제1 우주 속도: 초속 7.9km

제2 우주 속도: 초속 11.2km

제3 우주 속도: 초속 16.7km

아~, 그렇군.

바로 이해했지?

응. 나야 금방 알아듣겠는데 저 녀석들에게는 좀 어렵지 않을까?

특히 범우주 녀석.

나도 그건 조금 걱정이야. 한국 B팀은 팀원들의 실력 차가 너무 큰 것이 약점이지.

특히 로켓 실험은 팀워크가 중요하잖아. 아무리 강원소가 실험을 주도한다고 해도 성공할 수 있을지…….

듣자 듣자 하니까, 저것들이!

쓸데없는 걱정들이 많군!

고체 로켓

- 페이로드
- 유도 장치
- 점화 장치
- 추진제
(고체 연료,
산화제)

우리가 만들려는 모형 로켓은 실제 고체 로켓과 구조가 비슷해.

고체 로켓은 추진제로 고체 연료를 사용하는 로켓으로 구조가 비교적 간단하지. 고체 연료와 산화제, 점화 장치 등으로 이루어져 있어. 그러나 연료에 일단 불이 붙으면 추진력을 조절할 수 없다는 단점이 있어.

액체 로켓

- 페이로드
- 유도 장치
- 액체 연료
- 산화제
- 펌프
- 연소실

반면 액체 로켓은 액체 추진 연료를 사용하는 로켓으로 액체 연료와 산화제, 펌프, 연소실 등으로 이루어져 있어. 연료와 산화제를 연소실로 보내는 방법에 따라 압축가스나 터빈이 필요하기도 해. 구조가 비교적 복잡하지만 추진력을 조절할 수 있다는 장점이 있지.

아! 이렇게 보니 알 것 같아. 그럼 내가 이 고깔을 만들어야 하는 거지? 맞나?

아니, 그건 나랑 란이가 만드는 거고, 넌 발사대를 맡기로 했잖아. 아닌가?

…….

그랬나?

다시 한 번만 더 말할게.
내가 추진제를 만드는 동안
너희들은 *노즈 콘과 동체, 날개,
발사대를 만들어야 해. 이해했어?

*노즈 콘 우주선이나 미사일 등의 맨 앞부분을 의미한다. 공기와의 마찰을 줄이기 위해 원뿔 형태로 제작된다.

그래, 그래!
난 잘할 수 있어.
걱정 마!

응, 순서도 다
외웠어!

보고서도
잘 쓸게!

끄덕

…….

멈칫

그러고 보니…….

응?

45

후..

너희들과는
한 번도 이 실험을
못 해 봤구나.

응?

그걸 이제 알았냐?

오늘이
처음이지.

돌돌..

지금부터 내가 하는 말 잘 들어.
모형 로켓은 단번에 성공하기 어려운
실험이야. 그러니까 우리는
실험을 바꾸자!

뭐?!

……뭐?

나도 모형 로켓 실험 해 봤다고. 그래서 어떻게 진행하는지 다 알아.

그랬구나…….

원소도 열 번 중에 한두 번만 성공했을 정도로 난이도가 높은 실험인데.

그뿐만 아니야. 막스는 로켓 대회에 나간 적도 있다고.

로켓 대회?

으쓱

비록 실수로 다른 팀 로켓 진로를 방해해서 실격당했지만 말이야.

그거 실수 아니라니까?

원소와 똑같은 실험을 하면 나에게 승산은 없어.

47

차라리 난이도가 낮은 실험을 해서 성공시키는 편이 내게 유리할 거야.

내 실력으로는 그게 제일 확실한 방법이야. 이 대결에서 이길 수 있는 유일한!

너희들이 도와주면야 언제든지 그 로켓쯤은 다시 만들 수 있지.

끄덕

하지만……! 지금 난 혼자가 아니야!

벤도 소피도 로켓에 대한 기본 지식이 있잖아?

당연하지. 게다가 페이로드, 유도 장치, 연료와 산화제, 로켓 엔진 등 오늘날 로켓 구조를 이루는 데 바탕이 된 V-2호 로켓을 만든 사람도 바로 독일에서 태어난 로켓 연구가, 베르너 폰 브라운이잖아.

맞아. 브라운은 나사(NASA)에서 달 착륙 유인 비행 계획을 이끌기도 했지.

V-2호 로켓

- 페이로드
- 유도 장치
- 연료
- 산화제
- 로켓 엔진

베르너 폰 브라운

팀워크야.
혼자서는 절대 로켓 발사를
성공시킬 수 없으니까.

나 혼자만의 힘으로
성공할 수 있는
실험이 아니야.

그래, 우린 제일
중요한 걸 갖고 있어!

세나는 원소에게 매번
졌다니까? 즉, 이 대결의
승자는 한국 B팀인 거지!
더 볼 필요도 없다고~.

대결 전에 스포일러를 말하다니. 누가 이길지 뻔한 대결은 재미없는데 말이야.

결과를 알고 보는 것도 괜찮지 않아? 누가 이기든 우린 재미있게 관람이나 하자고~.

실없는 소리 하지 마! 한국 팀 녀석들은 왜 저렇게 운이 좋은 거야?! 저번엔 우승 후보인 날 이기더니 16강에서는 자신 있는 주제가 나오고!

세상 삐딱

불공평해, 불공평해! 너무 불공평해~!

진정해, 강림. 대결에 반전이 있을 수도 있잖아. 저 녀석 말을 다 믿을 필요 없어.

뭐?

51

그래, 맞아!

내가 왜 네 말을 믿어야 하지? 대결 참가 팀도 아니고 처음 본 녀석의 말을!

믿어 달라고 한 적 없거든?!

난 진실을 말했을 뿐이야. 원소는 화학의 신이라고!

그 녀석은 태어날 때부터 화학 반응을 제어하는 능력을 타고났지. 화합, 분해, 치환 그리고 연소와 폭발까지 그 모든 일들이 머릿속에서 저절로 계산되는 녀석이야. 무슨 수를 써도 절대 강원소를 이길 수 없어!

세나도, 나도!

강원소, 그 정도였어?

흠~

오호

역시 믿음이 안 가.

뭐?

네 말대로 원소가 화학의 신이라면 왜 저런 실험 준비물을 담는 거지?

깜짝

뭐?

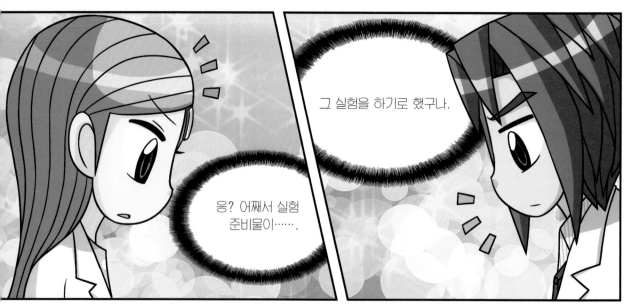

준비물 다 가져왔어!

강원소, 너만 오면 돼!

다 찾았어, 세나야.

아! 그래……,

우리 둘 다……, 잊지 않았어!

꼬덕

꼬덕

로켓 실험에서 가장 중요한 것을!

중요한 걸 나만 모르는 이 기분은 뭐냐!

으형

세르게이 코롤료프와 베르너 폰 브라운

세르게이 코롤료프와 베르너 폰 브라운은 로켓 기술 과학자입니다. 1906년 러시아에서 태어난 세르게이 코롤료프는 모스크바 최고 기술 학교를 졸업한 뒤, 폭격기를 설계하는 일을 하며 로켓 엔진에 관심을 갖게 되었습니다. 그리고 수년간의 연구 끝에 액체 연료를 이용하는 로켓

세르게이 코롤료프(좌, 1906~1966)와 베르너 폰 브라운(우, 1912~1977)

엔진을 개발하며 제트 추진력 연구소의 소장으로 취임하게 되었지요. 그러나 1938년 세르게이 코롤료프는 소련에서 일어난 대숙청에 휘말려 체포되었고, 1944년 특별 사면이 되기 전까지 수용소에 갇혀 지냈습니다. 이후 사회에 돌아온 그는 로켓 연구에 몰두하며 1957년 대륙 간의 공격이 가능한 R-7 대륙 간 탄도 유도탄(ICBM)을 개발했습니다. 그리고 R-7의 로켓을 이용하여 세계 최초의 인공위성인 스푸트니크 1호를 발사할 수 있었지요.

1912년 독일에서 태어난 베르너 폰 브라운은 베를린 공과 대학에 입학해 액체 연료 로켓을 공부하며, 육군 로켓 연구소에서 로켓 연구를 진행했습니다. 그리고 1936년부터 본격적으로 로켓을 개발하기 시작하여 오늘날 로켓의 시조로 불리는 V-2호 로켓을 만드는 데 성공했지요. V-2호 로켓은 약 1톤의 탄두를 싣고 300여 km를 날아갈 수 있는 당시 최고의 로켓이었습니다. 이후 1945년 독일이 제2차 세계 대전에서 패배하자, 베르너 폰 브라운은 미국으로 건너가 로켓 연구를 계속했습니다. 그리고 나사(NASA)에 소속되어 새턴 로켓을 개발하였는데,

스푸트니크 1호 세계 최초의 인공위성.

이 로켓은 세계 최초로 달에 착륙한 아폴로 11호를 우주로 쏘아 올리는 데 사용되었습니다. 이처럼 세르게이 코롤료프와 베르너 폰 브라운이 개발한 로켓은 처음에는 전쟁 무기로 이용되었으나, 오늘날에는 우주 시대를 열어 주는 우주 로켓 개발의 기반이 되었습니다.

우주 왕복선과 로켓

> 톱이 어디 있지? 지붕을 고치려면 톱이 필요한데…

> 콩 콩

> 벌떡

> 아니, 저건? 우주 정거장 건설에 필요한 물품을 나르기 위해 고안된 우주 왕복선!

> 벌써 완성된 건가?

> G박사 탑승 중

> 발사, 3초 전, 2초 전, 1초 전!

> 으아아

> 잠깐만요! 저도 같이 가야죠!

> 쿠오오오

> 콰 콰 쾅

> 내가 지붕 건설에 필요한 도구를 가져왔네.

> 우주가 아니라 지붕 왕복선인가?

> 엥?

> 폴 짝

> 지붕이 더 망가졌잖아요!

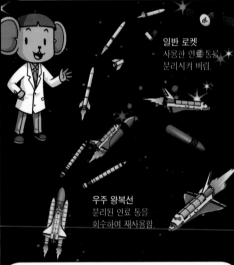

> 우주 왕복선은 한 번 사용하면 다시 사용할 수 없는 일반 로켓의 단점을 보완한 것으로, 우주로 발사된 후 임무를 마치면 지구로 돌아와 재사용이 가능하답니다.

일반 로켓
사용한 연료 통을 분리시켜 버림.

우주 왕복선
분리된 연료 통을 회수하여 재사용함.

> 우주 왕복선은 넓은 화물칸과 우주인이 탈 수 있는 궤도선, 재사용이 가능한 고체 연료, 일회용인 액체 연료로 구성되어 있습니다.

— 액체 연료

— 고체 연료

화물칸

궤도선

우주 정거장에 도킹한 우주 왕복선

> 우주 왕복선이 처음 발사된 것은 1981년 나사(NASA)가 개발한 컬럼비아호였으며, 이후 챌린저호, 애틀랜티스호 등이 발사되었습니다. 우주 왕복선은 우주인과 보급품, 건설 자재 등을 실어 우주 정거장으로 운송해 주었지요.

제3화

포기가 아닌 도전

자, 마셔.

이거 맞지? 네가 제일
좋아하는⋯⋯,

그린티
요거⋯⋯.

응. 기억하고
있었네.

뭐야, 이 더러운
소리는!

우아, 엄청 맛있어! 알갱이가 톡톡!

청포도 버블티가 이런 맛이구나!

너희들도 처음이지? 세나가 사 주는 음료수! 세상에 이런 날이 오다니!

그래, 세나가 사 주는 건 처음이네.

난 사실 세나가 주는 건 절대 안 먹으려고 했거든. 누가 알아? 거기에 독을 탔을지?

…지금은 괜찮다고 생각하니?

으아아,
너 설마?!

농담이야, 농담.

마지막까지
날 놀리다니!

너야말로 마지막까지 못
볼 꼴을 보여 주는구나.

어떻게 저 많은
게 입속에……

정말 정이 안 가는
녀석이야.

동감이야.

난 독을 이겨 냈어!

입이나
닦아.

그런데 넌
후회 안 해?

뭘 말이야?

저 녀석들 때문에 네 특기인
모형 로켓 실험을 포기한 거 말이야.
조금 힘들긴 했겠지만 너라면 혼자서도
실험을 성공시킬 수 있었을 텐데…….

난 포기한 게 아니라
선택한 거야. 팀이 함께할 수
있는 로켓 실험으로.

네가 그렇다면
뭐…….

넌 후회해?

아니, 나도 후회 안 해. 나 혼자서는
절대 시도하지 못할 실험에 도전했는걸.
아마 내 평생 가장 잘한 일일 거야.
다시 돌아간다고 해도…….
난 똑같은 실험을 했을 거고.

* 노즐 대롱형의 작은 구멍으로 액체나 기체를 내뿜는 분출 장치.

65

반듯이 자른 페트병을 자르지 않은 페트병에 끼운 다음 연결 부분을 잘 붙이고,

① 페트병 자르기

② 페트병 끼워 넣기

③ 연결 부분 붙이기

자른 페트병 윗부분에 노즈 콘을 끼워 잘 붙인 다음에,

④ 노즈 콘 끼워 붙이기

자르지 않은 페트병 입구에 노즐을 연결하는 거야.

⑤ 노즐 연결하기

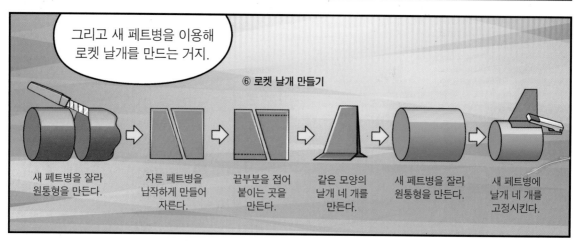

그리고 새 페트병을 이용해 로켓 날개를 만드는 거지.

⑥ 로켓 날개 만들기

새 페트병을 잘라 원통형을 만든다.

자른 페트병을 납작하게 만들어 자른다.

끝부분을 접어 붙이는 곳을 만든다.

같은 모양의 날개 네 개를 만든다.

새 페트병을 잘라 원통형을 만든다.

새 페트병에 날개 네 개를 고정시킨다.

우주야, 여기!

완성된 날개는 노즐이 연결된 페트병에 끼워 고정시켜. 이때 날개가 페트병과 정확히 수직이 되어야 안전하게 비행할 수 있지.

⑦ 날개 끼워 고정시키기

좋아, 완성이야!!

*체크 밸브 연결.

압력 게이지 연결.

* **체크 밸브** 기체나 액체가 한쪽 방향으로만 흐르도록 제어하는 장치.

이제 *압축 펌프 작동시킬게. 압력 게이지 확인해 줘.

오케이!

* **압축 펌프** 기체나 액체를 압축하여 압력을 높이는 데 쓰는 펌프.

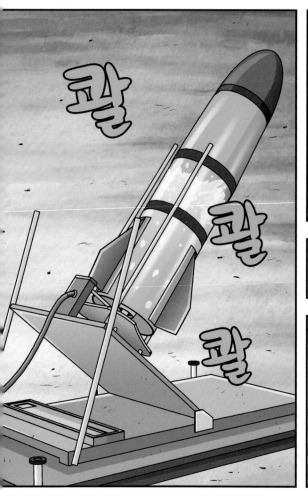

와! 완벽한 물 로켓이야.

내가 했던 물 로켓 실험과는 차원이 다른데?

엄청 멀리 날아갈 것 같아!

두 근

두 근

역시……. 저 자신만만한 우주의 표정 좀 봐. 저게 바로 우주다운 모습이라고!

생각보다 시시한데? 페트병 속에 물과 압축된 공기를 넣어서 분사되는 물의 힘으로 날아가는 물 로켓이잖아. 작용 반작용의 법칙을 이용한 아주 단순한 실험이군.

하지만 그것도 실패할 것 같아. 저런 단순한 실험일수록 기초적인 실수를 할 확률이 높지. 밸브 연결 같은…….

너희들 대결을 제대로 보고나 있는 거야?

저것들이 아까부터 시끄럽게……!

뭐가?

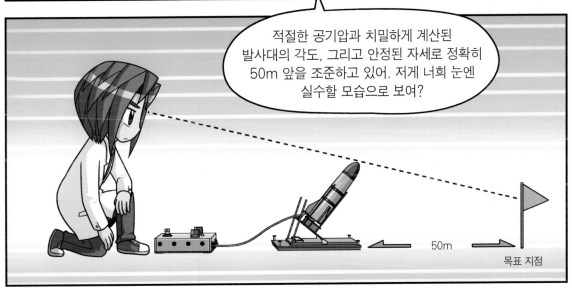

적절한 공기압과 치밀하게 계산된 발사대의 각도, 그리고 안정된 자세로 정확히 50m 앞을 조준하고 있어. 저게 너희 눈엔 실수할 모습으로 보여?

50m

목표 지점

흠…….
그러고 보니 그렇네.

성공하면 좋겠다.

응?

내, 내 자리에서는 잘 안 보이네! 자리를 바꿔 볼까?

좋아! 완벽한 자세야.
이제 발사하…….

잠깐,
잠깐!

멈춰!

잠깐 기다려 봐! 아직 독일 팀은
로켓 모양도 제대로 안 나왔는데?

그래서……?

그래서라니? 아직 실험 시간은
15분이나 남았고, 앞선 우리가
조금 기다려 주는 배려를
해 주면 어떨…….

응?

저
실험은…….

서, 설마!

쿵…

이건 모형 로켓이야.

원소가 처음에
하자고 했던
그 실험 아냐?

노즈 콘에는
회수 장치가 있고,

화학 성분으로 만든
고체 연료를 사용해.

우리가 성공하기
어렵다던……,

한 번도 함께해 본 적
없는 실험…….

내가 하는 말 잘 들어. 모형 로켓은 단번에 성공하기 어려운 실험이야. 그러니까 이 실험은 그만 잊어버려.

지금부터 우리는 우리가 성공할 수 있는 물 로켓 실험을 할 거야. 모두 알겠지?

물 로켓?!

그거라면 자신 있어!

설마 우리 때문에……, 원소가 저 실험을 포기한 거야?!

대신 세나는 팀원들과 저 실험을 해내는 거고?

……

멍청하긴!

우주야!

강원소!
지금 이러고
있을 때가 아니야!

좋아.
모두 물러서.

로켓의 무게와 공기압,
발사대의 각도를 정확히
계산한 결과야.

물 로켓의 장점을
최대한 살렸군.

식초와 베이킹 소다로 로켓 발사하기

실험 보고서	
실험 주제	식초와 베이킹 소다를 이용하여 로켓을 발사시켜 보고, 작용 반작용의 법칙에 대해 알아봅시다.
준비물	❶ 베이킹 소다 ❷ 식초 ❸ 화장지 ❹ 색지 3장 ❺ 양면테이프 ❻ 필름 통 ❼ 접착테이프 ❽ 계량스푼 ❾ 가위
실험 예상	식초와 베이킹 소다가 만나 생기는 반응으로 로켓이 발사될 것입니다.
주의 사항	❶ 로켓을 발사시키기 전 보안경을 착용합니다. ❷ 로켓이 발사될 때는 안전을 위해 적당한 거리를 유지합니다. ❸ 로켓 발사로 인해 주변이 지저분해질 수 있으니 바닥에 비닐 깔개를 깔거나 바깥에서 실험하세요.

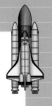

실험 방법

❶ 필름 통 뚜껑이 아래로 향하게 하여 놓고 색지로 필름 통 둘레를 감싸 접착테이프로 붙입니다.

❷ 색지로 로켓 날개와 원뿔 모양의 노즈 콘을 만들어 양면테이프로 각각 로켓 몸체 아래쪽과 위쪽에 붙입니다.

❸ 화장지 위에 베이킹 소다 두 숟가락을 넣고 감쌉니다.

❹ 필름 통 안에 식초를 3분의 1 정도 넣습니다.

❺ 필름 통 안에 ❸의 화장지를 넣은 뒤 재빨리 필름 통 뚜껑을 닫습니다.

❻ 재빨리 로켓을 바닥에 놓고 멀리 떨어집니다.

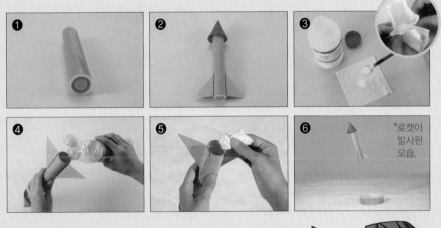

*로켓이 발사된 모습.

실험 결과

식초와 베이킹 소다가 반응하여 필름 통 로켓이 발사되었습니다.

왜 그럴까요?

로켓이 발사된 이유는 산성인 식초와 염기성인 베이킹 소다가 만나 이산화 탄소가 발생했기 때문입니다. 이렇게 발생한 이산화 탄소가 필름 통 내부를 가득 채우면 필름 통 내부의 압력이 높아지고, 결국 높은 압력이 필름 통 뚜껑을 밀어 내며 로켓을 발사시킨 것이지요. 물체 A가 물체 B에 힘을 가하면, 물체 B는 크기가 같고 반대 방향인 힘을 물체 A에 가한다는 '작용 반작용의 법칙'이 성립한 것입니다.

제4화

3, 2, 1초, 로켓 발사!

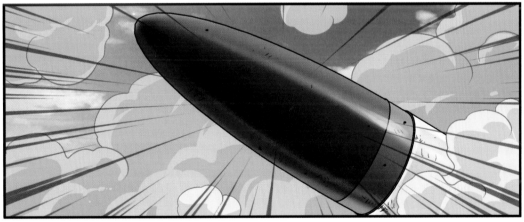

좋아, 발사대에서 가장 중요한 건 고정력이야. 로켓 발사 때 튕겨 나가지 않으려면 발사대를 단단히 고정시켜야 해.

고체 연료를 만들 땐 비율을 잘 맞춰야 해. 우선 설탕을 잘 녹인 다음에 질산 칼륨을······.

모형 로켓의 동체는 가볍고 단단해야 해.
로켓 엔진과 회수 장치,
비행 안정 날개의 무게와
로켓 발사 때의 폭발을
잘 견뎌야 하니까.

그리고 로켓 엔진의 원격 점화
장치는 확실히 작동되어야 하지.

이제 점화 장치를 발사대에 설치해야 해.

알았어, 내게 맡겨.

막스! 곧 추진제가 완성돼.

시간을 딱 맞췄군! 모형 로켓 실험에서 제일 중요한······.

로켓 엔진!

노즐도 잘 굳었어.

노즐

그럼 이제 추진제 넣을 차례지? 아직 덜 식었으니 조심해.

그래.

꾹 꾹

로켓을 추진시키는 데 필요한 추진제!

최대한 압력을 줘서 밀착시켜야 해.

쿵 쿵

한국 B팀, 물 로켓 발사!!

깜짝

벌써
발사한다고?!

우리 로켓도 저렇게
날아갈 수 있을까?

내 선택이
틀리지 않아야
할 텐데……

이야! 물 로켓이
저 정도면,

우리 로켓은 정말
굉장하겠는데?

재료가 저게 다 몇 개야?

대체 언제 완성되는 거지?

모형 로켓을 우습게 보지 마. 모형 로켓은 몇 십 년 전부터 계속 연구되어 왔다고. 1957년경에는 미국에서 NAR이라는 모형 로켓 협회가 생기기도 했지.

1954년, 미국의 오빌과 로버트 형제에 의해 모형 로켓이 디자인됨.

1957년경, 미국의 모형 로켓 협회인 NAR 창시.

1972년, 세계 모형 로켓 경진 대회 개최.

1957년이면 소련이 세계 최초의 인공위성인 스푸트니크 1호를 발사한 해잖아?

맞아. 그다음 해에는 미국이 인공위성, 익스플로러 1호를 발사했지.

그 후로 소련과 미국은 계속 경쟁하며 우주 개발 로켓과 우주 정거장을 쏘아 올렸잖아!

그래. 1971년 소련이 세계 최초의 우주 정거장 살류트를 발사하자, 2년 뒤 미국이 스카이랩을 쏘아 올렸지.

소련, 1957년 스푸트니크 1호 발사

미국, 1958년 익스플로러 1호 발사

소련, 1961년 최초의 우주인 탄생

미국, 1969년 아폴로 11호 달 착륙

소련, 1971년 우주 정거장, 살류트 발사

미국, 1973년 우주 정거장, 스카이랩 발사

그러다 결국엔……,

우리 미국을 중심으로 프랑스, 독일, 러시아 등 세계 16개국이 모여 국제 우주 정거장, 즉 ISS를 건설했지. 우주 정거장을 만드는 데 필요한 구조물과 장치들이 로켓에 실려 우주로 발사됐어.

이렇게 발전된 진짜 로켓이 모형 로켓과 비교가 된다고 생각해?

내 말이 그 말이야!

게다가 모형 로켓은 물 로켓과 달리 화약 폭발의 힘을 사용하기 때문에 위험할 수도 있다고.

엥?

그건 네가 모형 로켓의 안전 규약을 잘 몰라서 하는 소리야. 모형 로켓은 지금까지 꾸준히 보완되어 왔고, 그와 관련된 안전 규약도 마련되어 있지.

〈모형 로켓의 안전 규약〉

- **재료**: 어떠한 금속도 포함되지 않은 종이, 나무, 플라스틱의 재료를 사용한다.
- **무게**: 전체 무게는 450g 이하, 로켓 추진제는 100g 이하를 유지한다.
- **로켓 엔진**: 추진제는 충전하여 다시 사용할 수 없고, 개조도 금지한다.
- **발사**: 5m 이상의 거리를 확보해야 하고, 카운트다운에 맞춰 발사한다.
- **회수 장치**: 발사된 로켓이 안전하게 지상에 떨어질 수 있도록 회수 장치를 설치한다.

맞아! 이 규약을 잘 따르면 모형 로켓은 안전하다고~.

그리고 모형 로켓의 제일 큰 장점은 모형 로켓을 통해 실제 로켓을 쉽게 이해할 수 있다는 거야. 서로 비행 원리와 구조가 비슷하기 때문이지.

과연 그럴까?

끄덕

어림없지!!

모형 로켓의 비행 과정

발사대에 고정된 모형 로켓의 점화 장치에 전류가 흐르면, 로켓 엔진에 불이 붙고 고체 연료가 연소되기 시작해. 이때 만들어진 가스가 노즐을 통해 분출되면 그 힘에 의해 로켓이 발사되는 거야.

② 관성 비행

③ 회수

노즐	고체 연료	지연체	사출제

고체 연료가 다 타 버린 후에도 모형 로켓은 관성에 의해 계속 상승해. 그리고 이 단계를 지속시키기 위해 지연제가 타면서 시간을 벌어 주지.

모형 로켓이 최고점에 도달하면 사출제가 폭발하면서 노즈 콘을 밀어 내. 그리고 노즈 콘에 연결된 낙하산이 펼쳐지며 모형 로켓이 안전하게 땅으로 내려오는 거야.

반작용

작용

펑

푸아아

① 발사 단계

흠……, 꽤 그럴듯한데?

구조를 보면 더 비슷하다고 느낄걸?

그래서 실험이 저렇게 복잡한 거였군.

모형 로켓의 구조

노즈 콘 — 비행 시 공기와의 마찰을 줄여 줌.

회수 장치 — 주로 낙하산으로, 모형 로켓을 안전하게 착륙시킴.

동체 — 속이 빈 원통 모양으로 각 부품이 연결되는 곳.

엔진 — 추진력을 내는 부분으로, 추진제, 지연제, 사출제로 구성됨.

날개 — 비행 시 모형 로켓의 균형을 맞춤.

모형 로켓은 실제 로켓의 원리를 이용해 구성되어 있다고.

실제 로켓의 구조
(새턴 5호)

비상 탈출 장치 — 발사 초기 폭발에 대비한 장치.

승무원 모듈 — 우주인이 타는 곳.

서비스 모듈 — 에너지 저장 장치, 산소 공급 장치 등이 있음.

3단 로켓

2단 로켓 — 고도에 따라 연소되며 연소가 끝나면 떨어져 나감.

1단 로켓

안정판 — 비행 시 로켓의 균형을 맞춤.

꽤 비슷하네.

즉, 모형 로켓 발사는 실제 로켓 발사만큼 섬세함이 요구되는 실험이라고 할 수 있지.

그렇다면 나도 인정!

그렇기 때문에······.

그렇군.

끄덕

점화가······.

불꽃이 보여!

점화 성공이야!

로켓이!

날아오른다!

발사한 건가?

우와

가만, 점수가……!

훗…

이거 재미있게 됐군요!

실험을 실패한 독일 팀이…….

0.5점 차이로…….

세나가… 세나가……!!

독일 팀이 이겼어!

핵무기의 역사와 피해

핵무기를 떠올리면 무엇이 생각나나요? 대부분 전쟁과 공포, 죽음 등이 생각날 것입니다. 실제로 핵무기는 자연과 인류에게 끔찍한 피해를 남기기도 했지요. 핵무기는 언제 어떻게 만들어졌는지, 또 핵무기가 폭발하면 어떤 피해를 끼치는지 함께 살펴봅시다.

> 원자 폭탄은 전쟁을 끝내기도 했지만, 엄청난 피해를 남기기도 했어.

최초의 핵무기, 원자 폭탄

제2차 세계 대전 도중, 독일과 미국 등 세계 여러 나라는 전쟁에서 우위를 차지하기 위해 무기 개발 경쟁을 벌였습니다. 특히 핵반응으로 생기는 힘을 이용하는 핵무기를 만들고자 비밀리에 연구를 진행했지요. 그러던 중 1945년, 미국은 인류 최초로 원자 폭탄을 만드는 데 성공했습니다. 이후 미국은

일본 나가사키에 투하된 원자 폭탄의 모형 뚱보라는 뜻의 팻맨(Fat Man)이라고 불렸다.

일본의 히로시마와 나가사키에 원자 폭탄을 투하하였고, 원자 폭탄의 위력 앞에 무너진 일본은 전쟁에서 항복할 수밖에 없었습니다. 이로써 제2차 세계 대전도 끝이 나게 되었지요. 핵무기의 무시무시한 파괴력을 확인한 세계 강국들은 너 나 할 것 없이 핵무기 개발에 몰두하였으며, 미국은 1952년, 소련은 1953년, 원자 폭탄보다 수천 배의 효과를 지닌 수소 폭탄을 만들게 되었습니다.

국제 사회의 약속, 핵 확산 금지 조약

핵무기로 인해 인류가 멸망할지도 모른다는 우려가 커지자, 1970년 국제 사회는 '핵 확산 금지 조약(NPT)'을 발효하여 핵무기 확산을 방지하기 위해 노력하기 시작했습니다. 이 조약은 핵무기 보유국을 미국, 중국, 영국 등 총 5개국으로 제한하고, 핵무기 보유국은 다른 나라에 핵무기 양도를 금지하고 핵무기 비보유국은 핵무기를 개발하지 않는다는 등의 내용을 담고 있습니다. 우리나라는 1975년 이 조약에 가입하였고, 북한은 1985년에 가입했으나 핵 개발 문제로 인해 2003년 탈퇴를 선언했습니다.

> 전 세계 180여 개국이 NPT에 가입했어.

무시무시한 핵무기 피해

핵무기가 실전에 사용된 곳은 일본의 히로시마와
나가사키입니다. 제2차 세계 대전에서 미국은 일본의
항복을 받아 내기 위해 핵무기를 투하하기로 결정한
것입니다. 결국 1945년 8월 6일, '리틀 보이(Little
Boy)'라고 불리는 원자 폭탄이 히로시마에
투하되었습니다. 길이 약 3m, 지름 약 70cm인 리틀
보이가 히로시마에 떨어지자 강렬한 빛이 번쩍이며
엄청난 열기가 뿜어져 나왔습니다. 그리고 거대한

나가사키에 솟아오른 버섯구름

버섯구름이 솟아올랐지요. 불과 몇 초밖에 안 되는 이 짧은 순간에 원자 폭탄은
다이너마이트 2만 톤에 달하는 에너지를 방출한 것입니다. 이로 인해 원자 폭탄이
투하된 주변의 모든 것이 잿더미가 되어 버렸고, 초기 폭발로 인한 사망자는 7만
8천여 명, 부상자는 8만 4천여 명에 달했습니다. 그리고 같은 해 8월 9일, 미국은
또 다른 원자 폭탄 '팻맨(Fat Man)'을 나가사키에 투하했습니다. 지형적 특징으로
인해 히로시마 원자 폭탄보단 피해가 적었지만, 초기 폭발로 인한 사망자는 3만
9천여 명, 부상자는 2만 5천여 명에 달했습니다. 원자 폭탄으로
인한 피해는 단기간에 끝나지 않았습니다. 핵폭발로 인해 생겨난
방사성 물질이 주변 생태계를 파괴하고, 수많은 사람들이
백혈병이나 악성 빈혈 등 여러 가지 질병에 걸려
고통스럽게 죽음을 맞이했습니다. 그리고 이러한
피해는 오늘날까지 그 후손에게도 이어지고 있습니다.

핵무기는 지구와 인류의 평화를 위협하는 최악의 무기야!

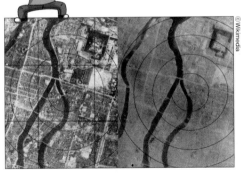

원자 폭탄 투하 전(좌), 후(우)의 히로시마 모습
원자 폭탄이 투하되자 투하 지점 주변의 건축물이
모두 사라졌다.

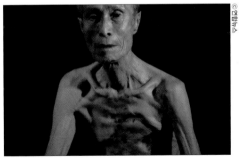

나가사키 원자 폭탄 피해자의 모습
원자 폭탄으로 인해 떨어져 나간 갈비뼈가 폐를
압박하여 숨 쉬기가 힘든 피해자의 모습이다.

제5화

핵무기급 범우주

115

원소는 충분히 이길 수 있었어. 모형 로켓 실험은 그 녀석 전문이라고!

그게 사실이라면 한국 B팀은 왜 물 로켓 실험을 한 건데?

으싹

그 이유는……

아마도…….

…자신이 없어서?

강원소의 신중함 때문이지, 뭐.

신중함?

드르륵 척

와아아

2차 실험 과제는 1차 실험 때 만든 로켓을 이용하여,

과녁판에 달린 풍선을 터트리는 것입니다.

점수는 최대 10점! 풍선을 더 많이 터트린 팀에게 10점이 주어지고, 상대 팀에게는 풍선 한 개당 상대적으로 계산된 점수가 주어집니다!

그러니까 한국 B팀이 열 개, 독일 팀이 아홉 개 터트린다면, 한국 B팀이 총 10점이고 풍선 한 개당 점수는 1점! 따라서 독일 팀은 9점이 된다는 뜻이야.

아하!

한 국 B	독 일
풍선 10개	풍선 9개
10점	9점

너 수학 천재구나? 계산 능력이 아주 뛰어나군.

고마워.

그 정도로 뭘 놀라~.

독일 팀이 세 개, 한국 팀이 두 개를 터트린다면, 독일 팀은 10점이고 풍선 한 개당 점수는 3.33점! 즉 한국 팀은 6.66점이 되는 거지.

이 정도는 해야 수학 천재지~.

한 국 B	독 일
풍선 2개	풍선 3개
6.66점	10점

한국 팀이 지는 경우를 왜 생각해?

넌 뭔데 아까부터 자꾸 거슬리지?

크릉

싸늘

우엥

왜 나한테만 그래…….

강원소, 너…….

121

너 이럴 줄 알고……,

우, 우주야.

물 로켓 실험을
한 거였구나!
이 깜찍한 녀석!

우리가
유리해졌어!

엥?

우리가
유리해졌다고?

아!

2차 실험 과제는
상대 팀보다 풍선을
더 많이 터트리는 거잖아!

그렇지.

풍선을 터트리려면 로켓의 속도나 힘보다 정확도가 더 중요해.

바로 그거야! 우리 물 로켓은 모형 로켓보다 목표물을 향해 더 정확히 날아갈 수 있잖아!

와 락

캑

그렇구나. 발사대 각도와 공기 압력 조절만 잘하면……!

정확하게 풍선을 터트릴 수 있는 거지!

각도

압력

펑

명중입니다!

짝

저리 떨어져.

그래, 우린 지지 않았어! 이건 하늘이 우리에게 주신 기회나 다름없다고!

빠직

방심하지 마.

왜? 왜? 방심할 건데? 왜 안 돼?

탁 탁

우리의 모형 로켓을
실험할 수 있는 기회가
한 번 더 왔어!

이번에는 꼭
성공시키자!

좋아, 명예롭게
승리하는 거야.

다시 해 보는 거야.
승리를 위해!

파이팅!!

얘들아,
우리도 저거 하자!

로켓이 미사일이 된다고?

그래, 미사일은 로켓에 의해서 발사되는 폭탄이야. 사람이 조준하여 발사되는 것부터 여러 종류의 센서와 유도 장치를 이용해 스스로 속도와 방향을 조절하는 것까지 다양한 종류가 있지.

유도 장치

탄두

안정 날개

적외선 탐색기

레이저 근접 기폭 장치

고체 연료 로켓

적외선 유도 미사일 구조

아~, 미사일이 로켓에 실려서 발사되는 거였구나.

그래.

로켓의 운동 에너지만으로도 목표물을 파괴할 수 있지만, 미사일이 터지면 더 큰 피해를 입힐 수 있는 거지.

로켓

로켓+미사일

그 말은 폭발물을 설치한 물 로켓을 이용하면 여러 개의 풍선을 동시에 터트릴 수 있다는 소리잖아!

물 로켓

물 로켓+폭발물

128

말해 봐, 강원소!
폭발물 중에 가장 강력한 게 뭐야?
이 물 로켓에 설치하고 말겠어!

그건 아마도… 대량 살상
무기일 거야. 대량 살상 무기엔
여러 종류가 있어.

세균이나 바이러스를
무기로 사용한
생물 무기,

탄저균, 보툴리누스균
천연두 바이러스 등

염소 가스, 머스터드 가스, 사린 등

독성 있는 화학 물질을
내뿜는 화학 무기,

그리고 핵반응으로 생긴
힘을 이용한 핵무기……

잠깐, 방금
핵무기라고 했어?

원자 폭탄 말하는 거지? 터지면 순식간에 주변이 초토화된다는……!

ㅋ ㅋ ㅋ 쿵

맞아. 핵무기는 인류 역사상 가장 위험하고 강한 무기야.

그렇다면, 결정됐네.

응? 뭐가?

설마…….

이 물 로켓에 핵무기를 설치하는 거야!

빠밤

헤~

충격

멍청한 소리! 지금 핵무기를 만드는 건 불가능해. 그런 쓸데없는…….

역시……!

휙

아~, 난 포기다.

우주야…….

너 화학 잘하잖아! 실력 됐다 뭐 할래? 핵무기 만드는 데 아낌없이 써라, 좀!

알았으니까 이 손 치워.

뭐?!

알았다고? 뭘?

스윽

네 말대로 물 로켓에 핵무기의 원리를 이용한 폭발물을 실어 보자. 됐지?

탁 탁

뭐, 뭐?

말도 안 돼. 어떻게…….

원소 이 녀석…….

이제 만족하나?

원소가 어떻게 하려는 걸까?

거봐! 내 말이 맞잖아.

응?

원소는 할 수 있다니까!

에그~! 너 귀찮아서 못 한다고 우겼냐? 내숭 떨기는…….

아님 민망해서 그랬구나? 부끄럼쟁이 같으니~.

원소와 함께 핵무기 만들기 시~작!

저 녀석이야말로 핵무기급 무식으로 주변을 초토화시키고 있네.

그런데 대체 뭘 어쩌려는 거지. 원소는…….

주사기 빨대 로켓 실험

	실험 보고서
실험 주제	빨대로 만든 로켓을 주사기를 이용하여 발사시켜 보며 로켓이 발사되는 원리에 대해 알아봅시다.
준비물	❶ 과녁판 ❷ 가위 ❸ 지름이 다른 빨대 2개 ❹ 주사기 ❺ 30cm 자 ❻ 색지 ❼ 양면테이프 ❽ 접착테이프 ❾ 고무찰흙 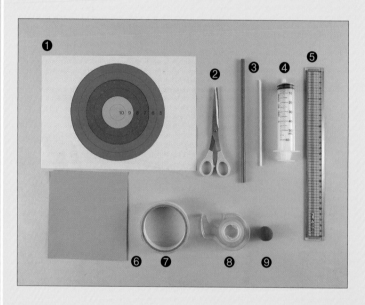
실험 예상	주사기의 피스톤을 밀면 주사기에서 빠져나온 공기의 힘으로 빨대 로켓이 발사될 것입니다.
주의 사항	❶ 빨대 로켓을 사람이나 동물을 향하여 발사하지 않습니다. ❷ 공기가 새지 않도록 접착테이프와 고무찰흙으로 주사기 틈을 잘 메웁니다.

❶ 가위를 이용하여 지름이 큰
빨대는 길이 12cm, 지름이 작은
빨대는 길이 8cm로 자릅니다.

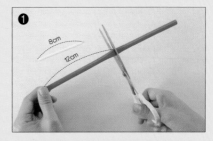

❷ 지름이 작은 빨대 한쪽 끝을
길이 1cm로 세 번 세로로 자른
뒤 주사기 입구에 끼웁니다.

❸ 접착테이프로 주사기 입구를
붙이고 공기가 새지 않도록
고무찰흙으로 틈을 잘 메웁니다.

❹ 색지로 로켓 날개 두 개를
만들어 지름이 큰 빨대의
한쪽 끝에 붙입니다.

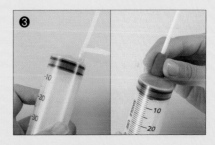

❺ 지름이 큰 빨대 한쪽 끝을
고무찰흙으로 막은 뒤 지름이
작은 빨대에 꽂습니다.

❻ 30cm 정도 떨어진 위치에
과녁판을 고정합니다.

❼ 주사기 피스톤을 빠르게 밀어
과녁을 향해 빨대 로켓을
발사합니다.

❽ 주사기 피스톤을 미는 정도와
속도 등을 다르게 하며 빨대
로켓이 발사되는 모습을
관찰합니다.

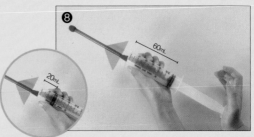

실험 결과	주사기 피스톤을 밀자 빨대 로켓이 발사되었습니다. 주사기 피스톤을 미는 정도와 속도 등을 조절하여 과녁판을 정확히 맞힐 수 있습니다. 주사기 피스톤을 천천히 밀 때보다 빠르게 밀 때 빨대 로켓이 더 멀리 날아갔습니다.

왜 그럴까요?

주사기로 빨대 로켓을 발사할 수 있는 것은 공기의 압력이 추진력으로 작용했기
때문입니다. 주사기의 피스톤을 밀면 주사기 속 공기가 압축되면서 압력이
높아지고, 높은 압력을 견디지 못한 공기는 주사기 입구를 통해 빠져나옵니다.
이때 빠져나온 공기가 추진력으로 작용하여 빨대 로켓을 발사시킨 것이지요.
주사기의 피스톤을 더 빨리 밀 때 빨대 로켓이
더 멀리 날아가는 이유는 주사기 안에 더 높은
공기의 압력이 생겼기 때문입니다. 실제
로켓도 고온·고압의 가스가 분출될 때의
힘을 추진력으로 이용하여 발사됩니다.

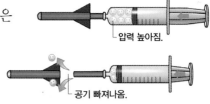

압력 높아짐.

공기 빠져나옴.

오늘 저녁 식사는 쫄깃한 송이버섯구이입니다~. 제가 직접 따 온 자연산이랍니다.

뭐? 버섯?!

짜잔~

흠칫

당장 저리 치우게. 버섯은 꼴도 보기 싫다고!

박사님, 왜 그러세요? 이 맛있는 걸…

바둥 바둥

사실 내가 젊었을 때, 제일 친한 야옹 박사와 핵폭발 실험을 했었지.

사고라도 있었나요?

사라진 야옹 박사님요?

그때 했던 핵폭발 실험은 엄청난 파괴력을 지녔어. 고열에 의한 연소, 충격파에 의한 파괴, 방사능에 의한 생체 조직 파괴까지!

설마 그때 야옹 박사님이 핵폭발 피해를 입으셨나요?

그렁 그렁

열선(고열)

폭풍(충격파)

피폭(방사능)

아니! 문제는 그때 생긴 버섯구름이야! 나는 송이버섯 모양이라고 했는데, 야옹 박사는 끝까지 브로콜리 모양이라고 우겼지! 그 뒤로 난 야옹 박사와 절교해 버렸다네!

그때부터 버섯만 보면 모두 없애 버리고 싶다고!

박사님……

송이버섯구이를 혼자 다 드셨네요….

내 입속으로 다 없애 버리겠어!

쩍

텅~

제6화

발사된 로켓 그리고 마지막 기회

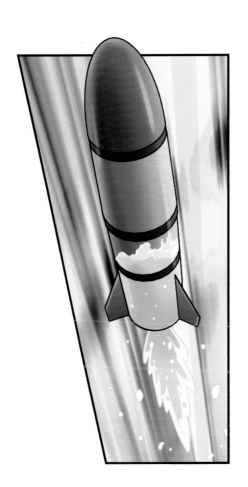
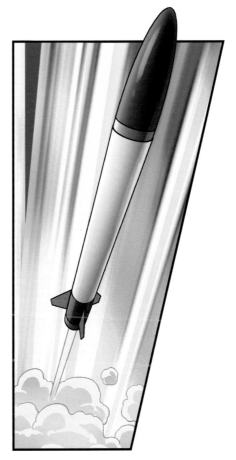

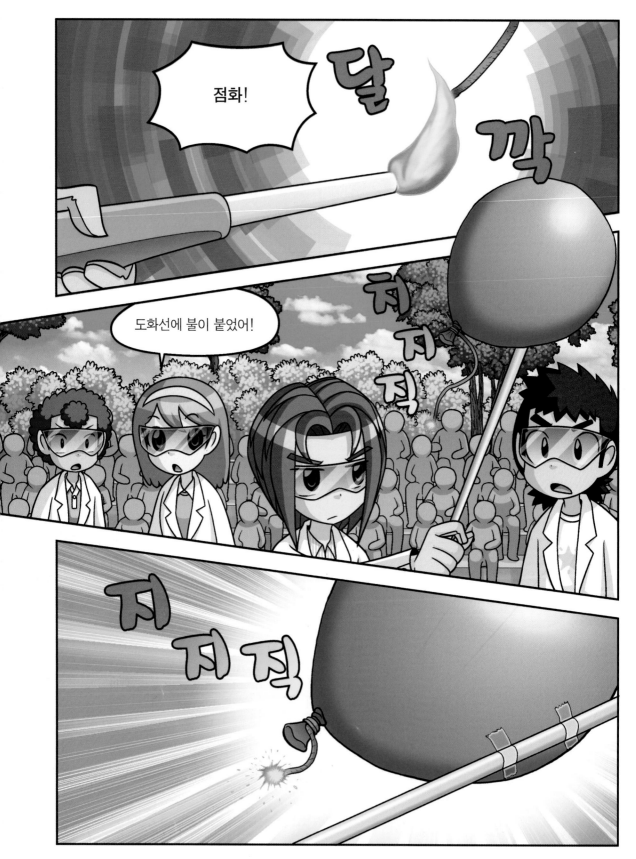

진짜……,
폭발했어!

저 폭발 좀 봐!

역시 강원소가 손 놓고 있을 리 없지.

화학 작용을 이용해서 로켓을 더 강하게 만들려는 거야.

로켓은 그대로입니다. 바뀐 건 로켓의 용도입니다.

로켓을 미사일의 추진 수단으로 이용하려는 거야.

미…사일?

인간을 달에 보냈던 새턴 5호도, 전 세계의 평화를 위협하는 대륙 간 탄도 유도탄(ICBM)도 모두 로켓을 추진 수단으로 이용한다는 건 알고 있었지만……

새턴 5호

ICBM

V-2호 로켓

대륙 간 탄도 유도탄(ICBM)
한 대륙에서 다른 대륙까지 날아가 공격할 수 있는 미사일로 핵탄두가 장착되어 있다.

그걸 실험에 활용할 생각을 하다니……. 역시 보통이 아니네.

흐……

얼핏 보면 진짜 핵미사일처럼 생겼어.

핵…미사일?

그래. 각종 센서와 유도 장치를 이용해 목표물을 향해 스스로 방향과 속도를 조절하면서……,

143

로켓이 목표물에 도착하면 그때 폭발하는 거지.

바로 이거야! 물 로켓이 풍선에 닿는 순간, 이렇게 빵 터지는 거야!

핵폭탄처럼!

맞지, 맞지?

……

시간 체크했어?

응!

처음 불을 붙일 때부터 폭발하는 순간까지 딱 15초 걸렸어.

물 로켓이 날아가는 속도에 비해 긴 시간이군. 도화선을 좀 더 짧게 만들어야겠어.

응. 풍선 가까이에서 폭발해야 위력이 클 거야.

란이가 수소를 거의 다 모은 것 같아!

보글 보글

수소 양은 방금 전과 같으면 되겠지?

끄덕

그래. 폭발이 더 커지면 위험해질 테니까.

됐다!

흔들 흔들

깜 짝

천천히 해! 여기서 터지면 큰일이니까.

엥?

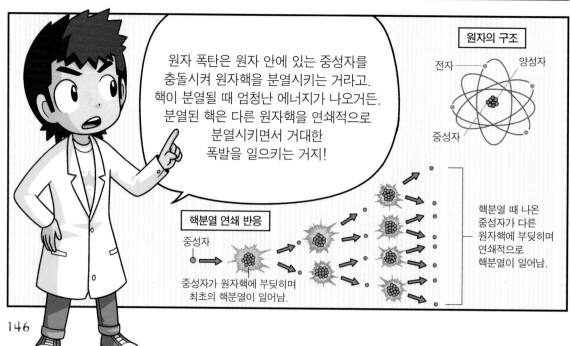

맞아. 원자 폭탄은 원자핵이 분열할 때 생기는 에너지를 이용한 폭탄이고, 수소 폭탄은 핵융합을 이용한 폭탄이야. 핵반응을 통해 원자핵들이 결합해서 무거운 원자핵이 되는데 이때 큰 에너지가 나오지.

중수소

삼중 수소

1억 ℃ 이상의 열

핵융합 에너지 발생의 원리

중성자

헬륨

수소 폭탄

1억 ℃ 이상의 열에서 중수소와 삼중 수소 등의 가벼운 원자핵을 융합시키면 큰 에너지가 만들어지며 무거운 원자핵이 되는데, 이 과정을 이용한 폭탄이 수소 폭탄이다.

그래. 수소 폭탄은 같은 양의 원자 폭탄보다 수천 배의 폭발 위력을 가진대.

맞아.

1g의 중수소로 8톤의 석유와 같은 에너지를 낸다니까.

그런데 넌 왜 하나도 안 무서워해?

응?

척

슈

욱

핵무기가 무서운 건 폭발의 위력 때문만은 아니야.

그, 그럼?

147

지금 보니 진짜 핵폭발 근처에도 못 미치는 실험이잖아?

그러게. 진짜 핵폭발의 원리와는 좀 다른데?

진짜 핵폭발 실험이라도 하길 바라는 겁니까?

응?

핵무기는 아주 위험한 무기입니다. 세계 전쟁까지 일으킬 수 있는 위력을 지녔다고요.

맞아. 너희들은 상상도 못 할 거야.

끄덕

1만 ℃가 넘는 열선

핵폭발이 일어나면 제일 먼저 눈이 멀 정도의 번쩍이는 빛과 방사능이 방출됩니다. 주변 공기에서는 1만 ℃가 넘는 둥근 모양의 불이 만들어지며 열을 내뿜죠.

충격파

폭발의 충격파는 초속 수백 미터의 빠르기로 이동하며 이 과정에서 엄청난 압력 차이가 생깁니다.

핵폭발은 열선과 폭풍, 방사능으로 여러 가지 피해를 주는데, 그중 방사능은 생체 조직을 파괴할 정도로 엄청난 위력을 가지고 있대. 70년이 지난 지금까지도 방사능 노출 후유증으로 고통받는 사람들이 있을 정도니까…….

방사능 노출 후유증

급성
피부 점막 출혈, 위장 출혈, 실명, 빈혈 등

만성
백혈병, 종양, 운동 장애 등

유전성
돌연변이 등

방사능… 노출 후유증?

그래. 핵분열로 만들어진 방사능은 오랫동안 사라지지 않고 인체를 공격하지.

맞아. 그래서…….

그 폭발 이후로 전 세계는
핵무기의 무서움을 깨닫고,
핵 확산 금지 조약을 만들었어.
핵무기 보유국을 제한하고,
핵무기 개발을 금지하기로
한 거야.

핵무기는 만들지 않는
것이 최선이니까!

핵무기가… 그렇게
무서운 거였어?!

바보야, 이건 진짜 핵무기가 아니야.

너나 이성을 찾아…….

거짓말! 거기 수소 넣는 거 내가 다 봤거든?

수소 폭탄이 핵폭탄이잖아!

우리 실험의 수소 폭발은 수소 폭탄의 원리가 아니야. 수소와 산소가 만나 물을 만드는 산화 환원 반응에서 에너지가 나오는 원리이지.

$2H_2$
수소

O_2
산소

$2H_2O$
물

수소가 폭발한다며. 근데 그게 수소 폭탄이 아니라고?

그래~! 핵무기가 얼마나 위험한 건지 알았으면 됐다!

계속 만들자고 우기더니.

다행히 핵무기는 우리가 만들 수도 없어.

핵무기를 만들려면 우라늄이나 플루토늄이 필요해. 수소 폭탄에서는 핵분열 에너지가 필요하고.

그럼 우린…….

157

풍선이…….

두 개 터진 거 맞지?!

그래, 잘했어!

독일 팀은?!

159

2차 대결 시간 동안
두 개의 로켓을
만들었군요.

역시, 세나야!
방심하지 않았어!

이거 마지막까지
흥미진진한걸?

이 대결에서는……,

누가 이기더라도
후회 없을 거야!!

로켓의 구조와 역사

엄청난 가스를 내뿜으며 광활한 우주를 향해 날아가는 로켓. 그런데 로켓은
언제부터 만들어진 걸까요? 또 로켓은 어떻게 구성되어 있을까요? 로켓의 정의와
기본 구조, 역사 등에 대해 함께 알아봅시다.

로켓의 정의와 기본 구조

로켓이란 고온·고압의 가스를 분출시켜 이를 통해
생기는 반작용을 이용하는 추진 장치나 비행물을
말합니다. 물질이 거의 없는 우주 공간에서도 로켓이
추진력을 발휘할 수 있는 것은 로켓의 연료나
산화제에 산소가 포함되어 있기 때문이지요. 로켓의
구조는 용도와 종류에 따라 매우 다양하지만 대부분
원뿔 모양의 윗부분과 원통형의 몸체로 되어
있습니다. 로켓은 연료 분사의 방향을 조절하여
비행 방향을 조절하기 때문에 로켓의 날개는 꼬리
부분에 작게 달려 있거나 아예 없습니다. 그리고
일반적으로 추진력을 최대화하기 위해 3~4단의
다단식 로켓으로 구성되어 있습니다.

한국형 발사체(누리호)의 시험
발사체 2018년 11월, 시험 발사에
성공했다.

로켓의 시작에 대한 역사

로켓은 연료나 제어 방식, 엔진 구조 등 다양한 종류의 기술이 모여서 만들어진
만큼 언제 어떻게 시작되었는지에 대해서 정확하게 알려진 바는 없습니다.
다만 1230년에 간행된 중국의 병서《무경총요》에 로켓의 기원으로 볼 수 있는
중국의 불화살, '화전'에 대한 기록을 확인할 수 있습니다.
이 병서에는 추진제를 만드는 방법은 물론, 이를
이용하여 화전을 쏘는 방법 등이 자세히 기록되어
있지요. 이러한 중국의 화전 제작 기술은 인도와
아라비아를 거쳐 유럽에 전해지는 등 오늘날
로켓 기술의 발전에 큰 기여를 했다고 볼 수 있습니다.

오늘날
중국에서는
로켓을 화전이라고
부르기도 해.

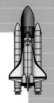

로켓의 종류

로켓은 어떻게 사용되느냐에 따라, 또 어떤 연료를 사용하느냐에 따라 다양한 종류로 나눌 수 있습니다. 용도와 연료에 따른 로켓의 종류에 대해 함께 살펴봅시다.

용도에 따른 종류

로켓의 쓰임새는 크게 기상 관측, 우주 개발, 무기로 나눌 수 있습니다. 기상 관측에 사용되는 로켓은 초고층이나 대기권 밖으로 발사되어 자료를 수집하고, 우주 개발에 사용되는 로켓은 우주로 발사되어 천체를 조사합니다. 무기로 사용되는 로켓에는 잠수함을 공격하는 '대잠 로켓'이나 날아오는 로켓을 맞추는 '요격 로켓' 등이 있습니다.

기상 관측용 로켓 대기의 성분, 밀도, 기압, 온도, 태양 전파 등을 관측하고 물리학 분야의 사진 촬영에 사용된다.

우주 개발용 로켓 인공위성을 발사하는 '우주 로켓', 행성을 탐색하여 자료를 수집하는 '행성 로켓' 등이 있다.

무기용 로켓 함정에서 적군의 잠수함을 공격하기 위해 발사하는 '대잠 로켓', 항공기에 설치한 '공대지 로켓' 등이 있다.

연료에 따른 종류

고체 연료를 추진제로 사용하는 '고체 로켓'은 비교적 구조가 간단하고, 장기간 연료를 채워 두어도 문제가 없기 때문에 갑작스레 로켓을 발사해야 하는 군사용으로 적합합니다.
액체 연료를 추진제로 사용하는 '액체 로켓'은

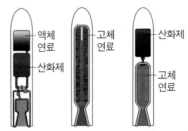

액체 로켓　　고체 로켓　　하이브리드 로켓

추진력을 제어할 수 있어 정밀함이 필요한 우주 로켓으로 이용됩니다. 그러나 액체 연료는 부식성이 강하고 변질되기가 쉬워 발사 직전 주입해야 한다는 단점이 있지요. 고체 연료와 액체 연료를 조합한 추진제를 사용하는 '하이브리드 로켓'은 일반적으로 산화제는 액체, 연료는 고체를 사용합니다. 추진력을 제어할 수 있고 발사 전 준비 단계가 비교적 짧다는 장점이 있습니다.

Guide

작용 반작용의 법칙을 이용한

탱탱볼 로켓 발사

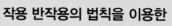

⚠️ 주의 사항을 먼저 읽은 후에 실험하세요!

- 실험 키트 가이드를 충분히 읽고 실험하세요.
- 준비물을 화기 근처에 두지 마세요.
- 준비물을 실험 외 다른 용도로 사용하지 마세요.
- 준비물을 입에 넣거나 먹지 마세요.
- 나무 꼬치에 눈이나 손이 찔리지 않도록 주의하세요.
- 나무 꼬치를 탱탱볼에 꽂을 때, 나무 꼬치가 기울어지지 않게 꽂아 주세요.
- 탱탱볼을 떨어뜨릴 때는 바닥과 수직이 된 상태에서 떨어뜨려 주세요.
- 튕겨 오르는 탱탱볼과 로켓에 부딪치거나 찔리지 않도록 주의하세요.

> 탱탱볼에 나무 꼬치를 꽂을 때 한쪽 방향으로 돌리면서 꽂으면 쉬워!

준비물

❶ 탱탱볼 3개(지름 2.5cm, 3cm, 3.3cm) ❷ 양면테이프 ❸ 빨대 1개 ❹ 나무 꼬치 1개 ❺ 로켓 도안
개인 준비물 가위, 자

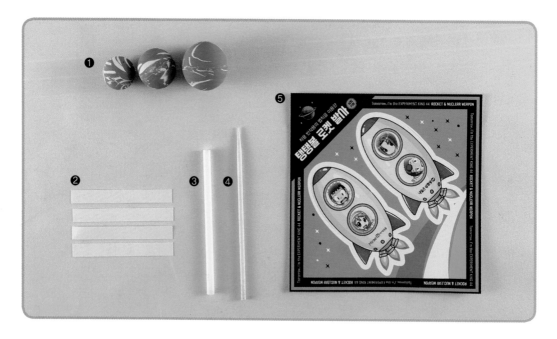

작용 반작용의 법칙을 이용하여 탱탱볼 로켓 발사하기

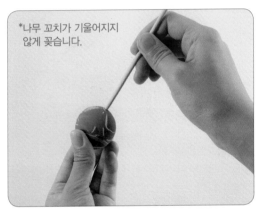

*나무 꼬치가 기울어지지 않게 꽂습니다.

❶ 탱탱볼 1개에 나무 꼬치를 1~1.5cm 깊이로 꽂습니다.

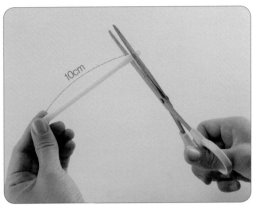

❷ 가위를 이용하여 빨대를 길이 10cm로 자릅니다.

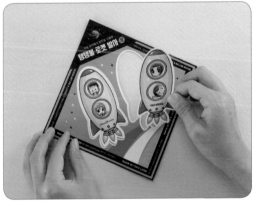

❸ 뜯는 선을 따라 로켓 도안 2개를 뜯어냅니다.

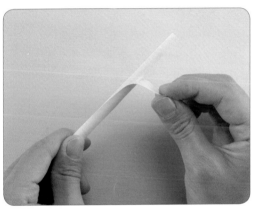

❹ 빨대의 한쪽 면에 양면테이프를 길게 붙입니다.

❺ 로켓 도안 1개를 빨대에 붙입니다.

❻ 빨대의 다른 쪽 면에 양면테이프를 길게 붙입니다.

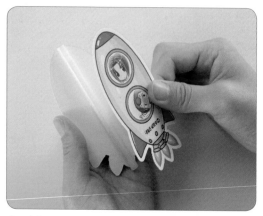

❼ 남은 로켓 도안 1개를 빨대에 붙입니다.

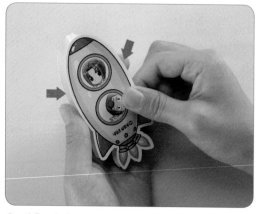

❽ 남은 양면테이프를 이용하여 로켓 도안 안쪽을 붙입니다.

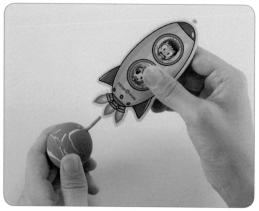

❾ 로켓 도안의 아랫부분이 탱탱볼 쪽으로 오게 하여 빨대를 나무 꼬치에 꽂습니다.

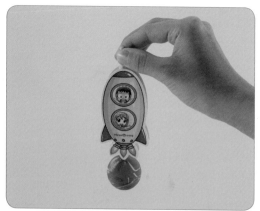

❿ 나무 꼬치 윗부분을 손가락으로 잡습니다.

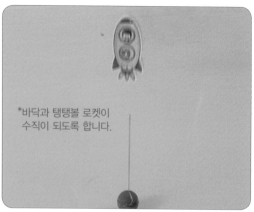

*바닥과 탱탱볼 로켓이 수직이 되도록 합니다.

⓫ 평평한 바닥에 탱탱볼 로켓을 떨어뜨립니다.

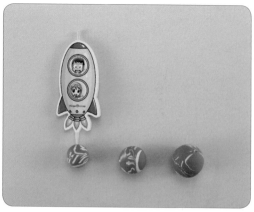

⓬ 남은 탱탱볼에 나무 꼬치를 꽂아서, 탱탱볼 크기에 따른 실험 결과를 비교해 봅니다.

실험 보고서

실험 날짜	년 월 일	이름	

실험 제목	☐☐☐☐ 의 법칙을 이용하여 탱탱볼 로켓 발사하기

실험 목표	• 탱탱볼 로켓을 만들어 발사시켜 본다. • 실험을 통해 ☐☐☐☐ 의 법칙에 대해 이해한다.

실험 예상

1. 평평한 바닥에 탱탱볼 로켓을 떨어뜨리면 로켓은 어떻게 될 것 같나요?

2. 탱탱볼 크기에 따라 실험 결과는 어떻게 달라질 것 같나요?

실험 결과

1. 평평한 바닥에 탱탱볼 로켓을 떨어뜨리자 로켓은 어떻게 되었나요?

2. 탱탱볼 크기에 따라 실험 결과는 어떻게 달라졌나요?

알게 된 점이나 느낀 점

실험 과정 이해하기

 탱탱볼 로켓은 왜 공중으로 튕겨 오르는 건가요?

 작용 반작용의 법칙이 성립했기 때문입니다.

탱탱볼 로켓을 평평한 바닥에 떨어뜨리면 빨대에 붙은
로켓이 순식간에 공중으로 튕겨 오릅니다. 이는 한 물체가
다른 물체에 힘을 가하면, 힘을 받은 물체도 상대 물체에게
크기가 같고 방향이 반대인 힘을 가한다는 '작용 반작용의
법칙'이 성립했기 때문입니다. 탱탱볼 로켓이 바닥에
떨어지면 탱탱볼이 바닥에 힘을 가하게 됩니다. 그리고 이
힘에 대한 반작용으로 바닥도 탱탱볼에게 힘을 가하게
되는데, 이러한 반작용에 의해 탱탱볼이 찌그러지지요.

탱탱볼 로켓의 발사 과정

탱탱볼은 원래의 모양으로 되돌아가려는 탄성이 매우 강하여 바닥에서 높이 튕기게 되는데, 이때의
탄성력으로 인해 나무 꼬치에서 빨대가 튕겨져 나가 로켓이 발사되는 것입니다.

 탱탱볼 크기에 따라 로켓이 튕겨 오르는 높이가 다른 이유는 무엇일까요?

 탱탱볼이 지닌 탄성력의 크기가 저마다 다르기 때문입니다.

탄성력의 크기는 탄성체의 변형 정도와 비례하고, 탄성체에 작용한 힘의 크기와 같습니다. 탱탱볼의
재질과 밀도가 같다는 조건하에, 탱탱볼의 크기가 크면 질량도 큽니다. 탱탱볼의 질량이 크면 탱탱볼이
변형되는 정도와 탱탱볼에 작용한 힘도 크기 때문에 탄성력도 커지는 것입니다.

실험 키트 속 과학 원리

작용 반작용의 법칙

작용 반작용의 법칙은 영국의 물리학자인 아이작 뉴턴의 세 가지 운동
법칙 중 하나로, 어떠한 영향을 미치는 힘에 대해서는 그 반작용으로
항상 크기가 같고 방향이 반대인 힘이 따른다는 법칙을 말합니다.
일상생활에서 쉽게 경험할 수 있는 작용 반작용의 법칙으로는, 야구
방망이로 야구공을 치면 야구공도 야구 방망이를 밀어 내는 것, 배를 탈
때 노로 물을 뒤로 밀면 물도 노를 앞으로 미는 것 등이 있습니다.

©Wikimedia

아이작 뉴턴(1642~1727)

실험왕 **완전 정복** 퀴즈

〈내일은 실험왕 44〉만 읽으면 누구나 맞힐 수 있는 퀴~즈!
하나도 빼놓지 않고 읽었다면 도전해 보세요!

몸풀기 OX 퀴즈!

로켓은 비행기처럼 양력을
이용하여 공중에 뜬다.

O X

로켓을 쏘아
올리는 데에 쓰는
연료와 산화제를
추진제라고 한다.

O X

물 로켓은 점화되는
불의 힘으로
날아가는
로켓이다.

O X

본격 초성 퀴즈!

1. ㄷ ㄷ ㅅ ㄹ ㅋ 은 여러 개의 로켓을 쌓아 올린 뒤 연소가 끝난 로켓이
   분리되어 떨어져 나갈 수 있도록 만든 것이다.

   ☐ ☐ ☐ ☐ ☐

2. ㅎ ㅁ ㄱ 는 핵반응으로 생기는 힘을 이용한 무기로, 원자 폭탄이나
   수소 폭탄 등이 있다.

   ☐ ☐ ☐

3. 로켓은 고온·고압의 가스를 발생시킨 뒤, 이 가스가 분출될 때의 힘에 대한
   ㅂ ㅈ ㅇ 으로 추진력을 얻는다.

   ☐ ☐ ☐

새로운 시대, 새로운 지식
브리태니커 만화 백과

✔ 대한민국 대표 교육 출판 기업 미래엔과 지식의 보고 **브리태니커의 합작**

✔ 문·이과 통합 정보와 가치 지향적 스토리

✔ 모든 영역부터 제4차 산업 혁명의 최신 정보까지

브리태니커 만화 백과
어떻게
활용할까요?

Step 01
학습 내용을 시각적인 이미지로 정리한
인포그래픽으로 핵심 정보를 미리 접한다.

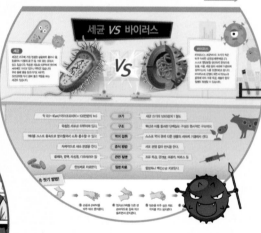

Step 02
재미있는 만화와 꼼꼼하게 정리된 정보
페이지를 읽으며 학습 내용을 이해한다.

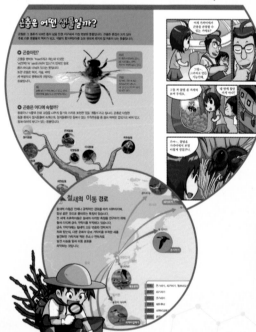

Step 03
뒷부분에 수록된 '브리태니커 세계
대백과사전'을 읽고 심화 정보를 만난다.

유익한 과학 정보와 인문학적 통찰, 미래를 준비하는 지혜가 담긴
〈브리태니커 만화 백과〉를 만나 보세요.

글 봄봄 스토리 | 그림 김덕영, 유영승 외 | 각 권 11,000원

〈브리태니커 만화 백과〉는
계속 이어집니다.

나는 작용과 반작용에 대해 더 알고 싶어!

다음 페이지부터 이어지는
〈힘과 에너지〉에서 작용과 반작용에 대한
깊이 있는 정보를 만나 보세요.

힘은 주고받는 것! 작용과 반작용

빨리 잡아!

캬
쾅

음냐…….

꽈
당

푸
서
억

툭

쯧쯧쯧,
작용 반작용의
피해자군.

작용
반작용이오?

방금 날아간
풍선이 보여
주는 게 바로
'작용 반작용의
원리'거든!

풍선에서 나온 공기가 바깥에 있는 공기를 밀어서 그 반대 힘으로 풍선이 앞으로 나가는 거야.

풍선의 진행 방향

공기가 빠져나가는 방향

공기

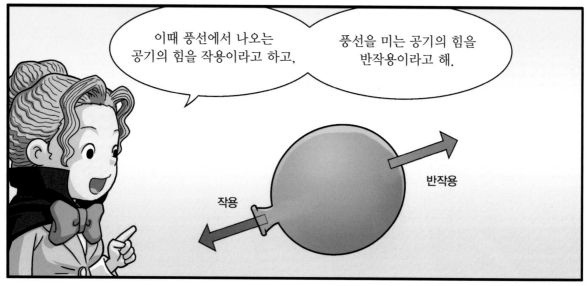

이때 풍선에서 나오는 공기의 힘을 작용이라고 하고,

풍선을 미는 공기의 힘을 반작용이라고 해.

반작용

작용

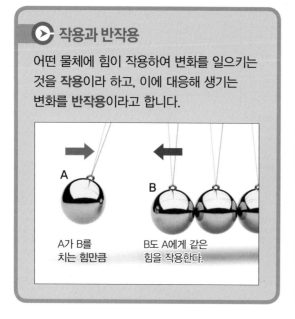

▶ 작용과 반작용

어떤 물체에 힘이 작용하여 변화를 일으키는 것을 작용이라 하고, 이에 대응해 생기는 변화를 반작용이라고 합니다.

A

B

A가 B를 치는 힘만큼

B도 A에게 같은 힘을 작용한다.

다시 말해, 작용과 반작용의 힘은 크기는 같지만 방향은 다르다는 거야.

풍선에도 과학이 있었다니!

아, 그럼 로켓도 같은 원리 맞죠?

물론, 로켓도 작용 반작용의 원리를 이용한 거야.

로켓이 뒤쪽으로 강한 기체를 발사하면, 그 힘의 반작용으로 로켓이 날아가는 거지.

반작용

작용

로켓이 기체를 밀어내는 힘을 작용이라고 하고, 기체가 로켓을 미는 힘을 반작용이라고 해.

기체가 로켓을 미는 힘을 작용이라고 하면, 로켓이 기체를 밀어내는 힘이 반작용이 되겠네요.

이 외에도 작용 반작용을 보여 주는 예는 아주 다양하단다.

작용

반작용

총을 쏠 때 몸이 뒤로 밀리는 것도 작용 반작용의 원리지.

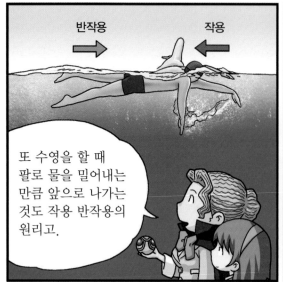

반작용 작용

또 수영을 할 때 팔로 물을 밀어내는 만큼 앞으로 나가는 것도 작용 반작용의 원리고.

반작용 작용

높이뛰기에서 세차게 도움닫기를 할수록 높이 뛰어오르는 것도 마찬가지야.

그렇구나.

사람이 나무에 부딪혀서 쓰러졌는데, 운동의 법칙 얘기만 하고! 너무한 거 아니에요?

뜨끔

헤헤, 미안.

챗!

어서 일어나.

로운이가 나무에 부딪혀 쓰러진 것도 역시 작용 반작용의 원리 때문이란다.

네?

그래요?

나무나 벽 같은 곳에 힘을 주면,

작용

반작용

힘을 준 만큼 동시에 받는 거지.

아……, 그래서 아까 그렇게 아팠구나.

만약 로운이가 단단한 나무가 아니라, 슬기와 부딪혔다면 어땠을까?

저도 아프겠죠!

맞아, 비슷한 질량의 물체에 부딪히면 두 물체는 같은 크기의 힘이 반대 방향으로 작용해서 둘 다 움직여.

한편 질량이 큰 물체와 부딪히면 양쪽 모두 같은 크기의 힘을 반대 방향으로 받지만, 질량이 큰 쪽이 잘 버티게 되는 거지.

비슷한 질량끼리 부딪혔을 때,

양쪽 모두 같은 힘의 반작용을 받는다

질량 차이가 많이 나는 상대와 부딪혔을 때,

양쪽 모두 같은 힘의 반작용을 받지만 질량이 가벼운 쪽이 많이 움직인다.

마지막으로
로운이를 위해서
문제 하나 내야겠다.

무,
문제요?

어딜 도망가?

아, 그게 아까
머리를 다쳐서 좀
쉬어야……

꾀병인 거
다 알거든!

놀이공원에 있는 기구
중에서도 작용 반작용을
이용한 것들이 있어.
그걸 맞히면 특별히
탈 수 있는 기회를 줄게.

와
아…

보고 와서
말할게요!

약속 꼭
지키셔야 해요~!

이어지는 내용은 브리태니커 만화 백과 〈힘과 에너지〉에서 확인하세요!